劉福春・李怡 主編

民國文學珍稀文獻集成

第二輯

新詩舊集影印叢編　第66冊

【旦如卷】

苜蓿花

杭州：湖畔詩社 1925 年 3 月版

旦如 著

【梁宗岱卷】

晚禱

上海：商務印書館 1925 年 3 月初版

梁宗岱 著

【白采卷】

白采的詩

上海：中華書局 1925 年 4 月版

白采 著

花木蘭文化事業有限公司

國家圖書館出版品預行編目資料

苜蓿花／旦如 著 晚禱／梁宗岱 著 白采的詩／白采 著—初
版—新北市：花木蘭文化事業有限公司，2017〔民106〕

48面／70面／76面：19×26公分

（民國文學珍稀文獻集成・第二輯・新詩舊集影印叢編 第66冊）

ISBN 978-986-485-151-5（套書精裝）

831.8　　　　　　　　　　　　　　　　　106013764

ISBN-978-986-485-151-5

9 789864 851515

民國文學珍稀文獻集成・第二輯・新詩舊集影印叢編（51-85 冊）

第 66 冊

苜蓿花
晚禱
白采的詩

著　　者　旦如／梁宗岱／白采
主　　編　劉福春、李怡
企　　劃　首都師範大學中國詩歌研究中心
　　　　　北京師範大學民國歷史文化與文學研究中心
　　　　　（臺灣）政治大學民國歷史文化與文學研究中心
總 編 輯　杜潔祥
副總編輯　楊嘉樂
編　　輯　許郁翎、王筑　美術編輯　陳逸婷
出　　版　花木蘭文化事業有限公司
社　　長　高小娟
聯絡地址　235 新北市中和區中安街七二號十三樓
　　　　　電話：02-2923-1455／傳眞：02-2923-1452
網　　址　http://www.huamulan.tw 信箱 hml810518@gmail.com
印　　刷　普羅文化出版廣告事業
初　　版　2017年9月
定　　價　第二輯 51-85 冊（精裝）新台幣 88,000 元

苜蓿花

旦如 著

旦如（1904～1962），原名謝旦如，生於上海。

湖畔詩社（杭州）一九二五年三月初版。原書六十四開。

我的二十一個春秋過盡了！

天空裏浮泛幾片彩霞，曉陽佈滿了街頭巷底，柳條爬上了家家門楣，都彷彿報着，「春天已過了一半，今朝正是清明，荒涼的墓地會有煙飛，遊魂都會歸來了。」

啊！ 一向落魄在煙霧迷濛的城市中間，今朝總踏上綠草輕軟的郊野來，怎麼又會是逢到斷魂的清明呢！ 黃草綠草的墓頭，都有了

1

爆爆的煙火，只有這一堆誰家的野
坟還是孤寂着。　遠遠的望去，馳
枯黃的草尖上盪着漠漠的輕煙，在
輕煙消沉的飄蕩裏，映出了她近來
清瘦的情影來了。　愛呀！你是留
意別人坟上的白紙，眼紅別人有愛
念的人招引孤魂的歸來，你是細聽
一切幽怨的哭聲，從灰蝶飛舞的煙
裏傳來的；我知道你悲傷自己而憔
悴呀！　是啊，只有你的坟上是清
冷，只有你的墓地是寂寞，啊，誰

2

會去招引你魂的歸來呢？　每一年
清明來，你只得請你墓上的野草去
攔住些人家的香煙：散散你心中的
愁悶，潤澤你胸懷裏的乾枯。——
你是孤魂，你是孤魂呀！　從這一
天清明後，我的眼淚就沒有乾過。

　有一囘幽靜的仲夏黃昏裏，叫
媽媽也來庭院中乘涼。　桐影落在
我們的身上，我沉醉在童年的幻景
裏了。　聽風吹樹葉，幾片離了故
枝飄下的聲音，看低頭微笑的母親

底銀髮，說起我童年的景像，仰頭一笑，啊！又是一個星殞了！破碎了我歡笑的心，我就悄悄地靜了下來，想着從前希望的事業，便在清水的月光裏細細偵察我的二手，可是連痕跡都消盡了，我幾乎落淚在切望我攀上青雲的母親面前。　從這仲夏黃昏後，我的心就深深地感到了悽涼了！

聽過鬼哭鳥啼，看過花謝水流，有時想過赤手去造成大廈，也曾捉

4

着過整夜的幻想；但是我終是這樣的懶散，不曾好好的讀過一書，學過一業，也不曾清清爽爽的醒過一天！ 只有憂鬱呀，只有漠漠的失意的夢！ 在人羣的中間彷徨了二十一個春秋，感到的，受到的，只有滿身的寂寞和悽涼！

有時我的心要哭，我就任眼淚流滿我雙頰；有時我的心要歌，我就任他的聲音傳出。 爲了安慰我

5

自己的心，想在夜裏睡一剎無夢的
濃睡，所以把積在心頭的悲哀，親
手埋葬在苜蓿花的花叢裏。　我並
沒有重大的欲望，只要在夜半人靜
後，聽見哭聲裏有我書裏的一句！

且如於煤灰窩裏編成
一九二四，十一，一，午後二時。

6

一間灰暗的房裏

一間灰暗的房裏，
只有一隻沒有做完的小襪
還是妻子的手蹟。

1

走近樹下賣卜的攤前

走近樹下賣卜的攤前，

想問他，我往哪裏去；

低頭一片秋葉落在我底脚上。

8

太子塔落影在蓮花池裏

太子塔落影在蓮花池裏，
二隻白鵝游上了塔尖，
石路上有幾聲沉重的脚步。

浸在三更的冷月裏

浸在三更的冷月裏，

你爲怎麼還沒有歸意？

空聽着夜風裏悽涼的笑聲！

10

一縷烏黑的煙

一縷烏黑的煙，

在飛紅的晚霞裏上升，

我又疑是自己底靈魂。

11

寂寞的秋林中間

寂寞的秋林中間，

雛鳥枝頭上學飛，

幾片飄落的紅葉怪響。

12

迷迷離離地擎起酒杯

迷迷離離地擎起酒杯，

在嘴唇的面前，

又望到我自己底面龐而清醒了！

13

我隨便的在灰塵上面踐踏

我隨便的在灰塵上面踐踏，

牠在我底脚底下冷笑，

「我總有一天爬上你頭上來！」

14

楠木的廳上結滿了蜘蛛網

楠木的廳上結滿了蜘蛛網，

門前只剩了一雙死色的石獅子，

誰會再想起他們昔日的盛時呢？

15

不要再想起琴的情意罷

不要再想起琴的情意罷！

免得夜風吹開我衣襟，

免得星月沉沉孤燈暈。

16

聽說她底坟上
〜〜〜〜〜〜〜

聽說她底坟上今年生了青草，
四圍的柳笆也結得密密齊了，
只是丁香的葉裏還沒有花飄。

17

櫥有晨安的枕頭

櫥有 L晨安 ﹁ 的枕頭，

睡時看了，多麼的懷傷啊！

L明天還要醒來的。﹁

18

淅淅的夜雨裏

淅淅的夜雨裏，
秋天偷偷地來了。
我忙着落我底葉。

19

想沉醉在酒裏

想沉醉在酒裏，

醒來的時候夜正半，

又是空望着死灰的天色！

20

我應該知道

我應該知道，

我應該認識，

白絨花插在烏雲髮邊的人兒呀！

21

編好了花環雙雙

編好了花環雙雙　。

一個帶了下山去，

一個還留在山上。

32

拾起海螺一片笑

拾起海螺一片笑，
姑娘的情意兒嬌：
L當心來潮！7

23

海濱把火燒的太陽吞下了

海浪把火燒的太陽吞下了，
青山悄悄地儘了眉月起來；
風裏的人在樹下惆悵。

24

懷了胎私奔的那個女人

懷了胎私奔的那個女人，
近來落魂到遠處去了。
哦，這還是她留剩的手帕！

25

夢裏的閒愁拋不去

夢裏的閒愁拋不去，
白天的希望又似青煙，——
兩手空空的，日又斜了！

26

旗在風裏碎了

旗在風裏碎了。

我底祖國呀，

我底中華！

27

幽靜的冷月光裏

幽靜的冷月光裏，

我又踏着了一堆荒坟，

誰把我底命運這樣注定？

28

曉陽的林裏風怪忙

曉陽的林裏風怪忙，

青藤爬滿茅草屋上；

春色上了藍衫，處處都如夢。

閉上了眼睛

閉上了眼睛做着祖國重興的佳夢，

總張開了眼睛——

偏看見一面三色的旗在窗外飛飄！

30

山外是一片海

山外是一片海，

海外又一叢山；

山邊有花，海邊有貝殼。

31

夢到漫山徧野的坟堆

夢到漫山徧野的坟堆，

心頭起了徵徵一顫。

琴，我聽到了你底哭聲了！

82

野風吹暖了春寒的深山

野風吹暖了春寒的深山，

老高的榴樹紅如火餤，

懷春的阿秀更狂了。

38

我看見過一片妃色的雲

我看見過一片妃色的雲，

雲的底下壓着一個飛鳥，

好像一個花蝴蝶飄舞在桃花樹下。

84

月昏星残的深夜裏

月昏星殘的深夜裏，

我背着黑黝黝的影子去毀滅，

忽然想起我底孤孑的媽媽！

35

低頭縫着我底絨衫

低頭縫着我底絨衫，

後來給我換上的時候說，

「讓他裹着你到明天！」

80

蘋菓綠的水晶鑪

蘋菓綠的水晶鑪，

一年多些也壞了，

悽涼的一間新房呀！

37

我獨自上樓頂散去

我獨自上樓頂散去，

樹林的路裏沒有碰見一個人，

山谷裏流邏着幾聲悠悠的寺鐘。

38

茶香處

茶香處，姑娘多，

灣灣的潤水邊有軟軟的路，

斜陽淡淡裏，茅舍迷濛了。

39

破了的絨衫還沒有補

破了的絨衫還沒有補，

寒冷飛近單衣的身上了，

啊！但她是遠了呀！

40

一步

一步——二步——三步——
一堆——二堆——三堆——
在黃昏暮色的坟堆中間空蹀躞。

41

一九二四年十一月一日編成
一九二五年三月二十五日出版

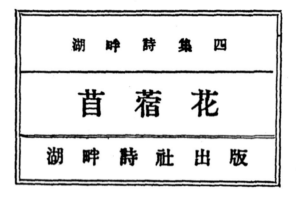

湖 畔 詩 集 四

苜 蓿 花

湖 畔 詩 社 出 版

杭州上海以及別處的書店代賣

上海通信處　萬象碼頭祥和里一號或
　　　　　　橫浜橋天壽里九十號轉

（實 價 兩 角）

湖 畔 詩 集

第一集湖畔

漠華雪峯修人汪靜之作
詩六十一首
一九二二年四月出版
（實價兩角）

第二集春的歌集

雪峯漠華修人若迦作
詩百〇五首文一篇
一九二三年末日出版
（實價兩角五分）

第三集過客

魏金枝作（暫不出版）

第四集莳宿花

且如作
三行詩三十五首
一九二五年三月出版
（實價兩角）

晚禱

梁宗岱 著

梁宗岱（1903～1983），祖籍廣東新會，生於廣西百色。

商務印書館（上海）一九二五年三月初版。原書四十開。

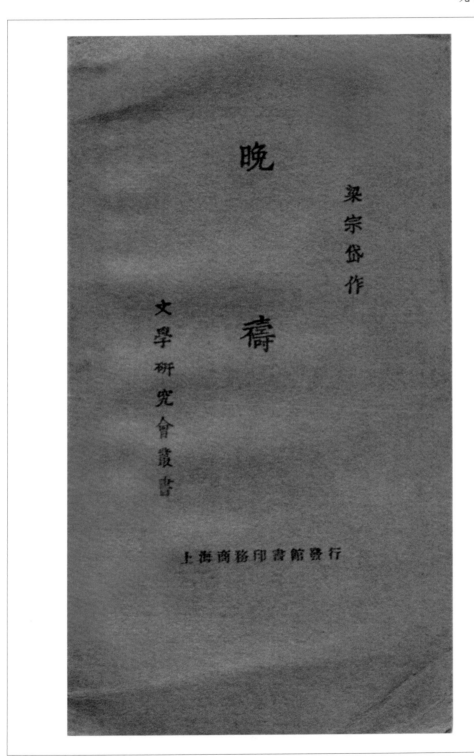

晚

禱

梁宗岱作

文學研究會叢書

上海商務印書館發行

晚　禱

梁宗岱作

文學研究會叢書
1924

目 次

$\dfrac{一}{1}$

晚 磬

失　望

明媚的清晨，

我把口琴兒鳴鳴地吹．

金絲鳥聽見了，

以爲是他的伴侶；

飛來窗前菁幽的竹林上探望，

便又失望地飛去了．

黑蝴蝶聽見了，

以爲是蜜蜂探花的嗡嗡聲；

從窗前菁幽的竹林飛過來，

便又失望地飛去了．

失望的朋友們啊！

怎的我不是你的伴侶？

—二一，七，二一．

1

晚　　禱

夜梟

「咿唔，咿唔，」夜梟的聲音，

人生的詛咒者的聲音，

像悽切的葬鐘一樣，

把我從亂藤般的惡夢當中，

兀地驚醒了．

「咿唔，咿唔，」夜梟的聲音，

悽切而且恐怖．

欲招將死的病魂麼？

詛咒眾生的夢想麼？

還是無端的呻吟呢？

「咿唔，咿唔，」悽切而且恐怖．

我既不是將死的病人，

怎能把我的游魂招去呢？

2

査

但我無窮的夢想，

柔弱者虛幻的夢想，

都給你詛咒殉遍了。

連我的游魂都一拚招去罷。

我怎能夠也「咿唔，咿唔」的

把人生努力地詛咒呢？

——一九二二，二，廿二

晚　禱

戾　歌

既然我的眼淚是流不盡的，
悲哀，又怎能靠我的淚珠洗得淨呢
要是想眞的洗淨我的悲哀，
除非待我的淚兒流乾了呵！

你把你的紅玫瑰花贈給我，
一會兒又把伊奪去了．
愛情要是因閒話而可以消失的，
我又何用這愛情爲呢？

一瓣一瓣的，你插在我胸前的玫瑰花，
如今，也由枯萎而消散了．
但我仍願把伊謝了的蕊兒
緊緊的向我胸前壓着．

4

遲　歌

你雖毅然的舍棄我，

我却不忍舍棄你：

你光榮呵，我就暗地裏歡喜；

憂愁呢，我也暗地裏爲你悲傷呵！

人人都說你是不道德的，

但我終肯原諒你的罪過。

要是你依舊愛我呵，

我的心淚就自然的由快樂之泉湧出來了。

你旣毅然的舍棄我，

怎麼還要把你的秋波不時的柔注我呢？

像你那樣軟射柔注，

我全身的神經眞不禁顫慄了呵！

近來你無心聽講，

5

瞻　　禱

總無精打彩的把筆在桌上亂畫。

有時我偷覻你，呵，原來是——

「我光榮的女郎，曾經是我所愛的，那兒去
了呢？」

「我光榮的女郎，曾經是我所愛的，那兒去
了呢？」

這是你常唱的詩句，無足怪的。

但是，你胸中也有了幽怨了麼？

還是爲我抒寫我的憂鬱呢？

把美目來柔盼我　把微笑來美讚我，

不是你從前所以待我的麼？

可是，現在呢，美目他顧了；

你美讚的微笑，又那兒去了呢？

淚　　歐

怕是因，——倘不是閒話——你娘的殞命

罷？

這是我常常在心裏自解的.

可是，我終不敢相信我猜的中呵！

因為，我想，眞情人必不因外力而移動呵！

他們都這樣勸我——

敎我不必為你而悲傷了；

因為你已掉頭不顧我了，

雖死，又有甚麼益處呢？

但是，我呵，全能的上帝！

我又怎能這樣忍心呢？

雖然是痛苦，

我也情願把我的心淚灌遍全身呵！

——二二,四,一二.

晚　　聲

晚　風

飄颻迷離的晚風，

浩浩荒涼的漠野，

沉吟躑躅着那遊子．

他望着閃閃藍天的小星，

他聽着喁喁林間的私語，

他回憶着他兒時的家鄉，

他回憶着他過去的歡愉，

他夢想着他將來的快樂，

他夢想着他將來的甜蜜，

他思念着他黃泉下的兄母，

他思念着他遠離的父親，

他思念着他年幼的弟妹，

他思念着他那不可卽的愛人：

但是他的春底幻夢

終於破碎了！

8

晚　　風

回憶只增了惆悵，

夢想只成了泡影，

思念也不過愈顯得他的孤寂呵！

他只有踽踽的沉吟了！

他只有凄涼的躑躅了！

他只有在飄飖迷離的晚風裏迷離了！

　　　　　　——二二，八，八。

晚 禱

途 遇

我不能忘記那一天．

夕陽在山，輕風微漾．
幽竹在暮靄裏掩映着．
黃蟬花的香氣在夢境般的
黃昏的沉默裏浸着．

獨自徜徉在夾道上．
伊姗姗的走過來．
竹影蕭疏中，
我們互相認識了．
伊低頭頹然微笑地走過，
我也低頭頹然微笑地走過．
一再回顧的——去了．

10

途　　遇

在那⋯剎那裏——

直到如今猶覺着———

心絃感着了如夢的

沉默，羞怯，與微笑的顫動．

　　　　　　　　——二二，十，二八．

11

晚　禱

秋　痕

稚弱的心靈第一次的恐怖，——

是在十二年前的一個秋夜.

牛兒回欄了，渡船也停擺了.月從雲幕裏透出寒光.在淒涼的月色中，我偕着我的父親在一個河岸的迷惘的荒野上行着.

四顧景色蒼茫，悄然寂然.沒有密密的村莊，也沒有疎疎的院落.只巍巍的古刹裏射出一點孤燈，伴着森森的樹影，與寒月相輝耀.

木魚聲無聊地從刹裏斷斷續續地透出來，落葉只是蕭蕭着.

緊握着慈父的手兒.中心不住地忐忑，輕煙般的恐怖已滲進稚弱的心靈了.

父親呵！稚弱的心是離不開你的慰安的.

——二二，十，三十.

12

散　後

散　後

微風在花間絮語了，

聽——他說些甚麼？

晚 籟

秀蔚的竹林底下，

生着一叢小小的野花，

開的多麼絢爛呵．

我的花，

你就在那兒長着罷．

14

散　　後

琴絃斷了！

砰然悽急緊張地哭了一聲：

是創痛的呼籲？

是悲哀的叫嘁？

—
15

晚 禱

夜間黑魆魆的，

從黑暗的沉默裏透出來的清芬，

不知道是什麼花的香氣：

然而我已感受到而知道是花的清芬了。

10

散　　後

想想我是何等一個殘酷的人：
生在禮拜堂裏的
幾根稀稀的怪可愛的青草
正在長着鮮綠新青的嫩苗．
竟因我一時的任性
把伊生生地踐踏死了！

17

晚　　禱

對於憂慮充滿的心

那一陣陣夾着微風送來的花香

不過是對於緊張的琴絃

猝然的蠡彈罷！

18

散 後

白蓮睡在清池裏，
伊要過伊甜夢的生活。
夏夜的風淡淡地吹了，
伊便不知不覺地
瓣瓣的墜落污泥裏了。

19

晚　　禱

當伊行過，

羞怯地把伊胸前的玫瑰拋在我的脚下。

唉，我的不幸，

竟無意的把牠踏碎了！

20

散　　後

竹樹呵！

我每朝從你身邊經過，

把你一片葉兒摘下，

你葉尖的涼露就滴在我的手上——

呵，我的淚呵！

21

晚　　禱

我在園裏拾起一片花瓣，

我問伊要做我的情人，

但伊漲紅了臉不答我；

於是我只得忍心地把伊放下了．

22

後　　散

明靜皎潔的月夜：

不知是歡暢愉樂的？

還是淒涼沉痛的？

23

晚　禱

花對詩人說：

「我們的花雖有大小，

我們都是各自創造我們的藝術的，

都是一樣美麗的呵。」

24

散　後

暮春到了，

白蝴蝶全披上黃的喪服

去吊那滿地繽紛的落英了。

25

晚　　禱

停勻寂寞的夜雨，

夾着低沉斷續的六絃琴，

滴在窗外的芭蕉上，

滴進遊子沉睡的心房深處，

使他覺得客涯的慘淡，

旅況的淒清．

26

散　　後

在生命的路上，

快樂時的腳迹是輕而浮的，

一刹那便模糊了.

只有憂鬱時的腳印

却沉重的永遠的鐫着。

27

晚　　戀

只要是花便可愛了，

美麗鮮豔的花可愛，

憔悴的花又何嘗不可愛呢？

28

後　　散

葉枯了便落，

是當然的麼？

怎麼又颯颯地嘆氣呢？

29

晚　　禱

在無邊的空間當中，

依稀地看見我最初的哭聲蕩漾，

哀悼我現在的靈魂！

30

散　　後

嬰孩底幻夢消滅了以後，

由歌曲帶來的都是些悲哀的贈品。

31

晚　　禱

在昏暗迷茫的夢裏，

我夢見我們是復合的情人．

我們相抱哭着．

從默默酸淚的淒涼裏，

我們散後的愁苦互相偎貼了．

32

後　散

蓮藕因爲想得清豔的美花，

不惜在污濕的淨泥裏過活。

33

晚　　禱

當悲哀慢步走到我的身旁，

把伊的指尖輕敲着我的心頭的時候，

我甚麼都忘記了；

只覺得伊慈祥，溫藹 ⋯⋯⋯

把我的心絃彈出

一陣不可名言的快意的酸痛。

34

散　後

憂慮像毛蟲般

把生命的葉一張一張地蠶吃了。

35

晚　　禱

時間

是無邊的黑暗的大海。

把宇宙的一切都沉沒了。

却不留一些兒的痕迹。

36

散　後

悲哀安慰人生道：

「我是礁石．

我要在你的坦蕩蕩的流水中

濺起了無數的雪花似的浪花，

使你越覺得美麗的．」

37

晚　　禱

我不知這是甚麼．

但我只知道他說：

伊一聞他提起我的名字，

伊便立刻羞怯帶着嫣笑的番身走了。

散　後

當伊談着，

伊低頭縫伊的白綢襯衣。

39

晚 禱

命運是生命的沙漠上的一陣狂飆，

毫不憐恤的

把我們——不由自主的無量數的小沙——

緊緊的吹蕩追迫着，

輾轉降伏在他的威權裏。

誰能逃出他的旋渦呢？

40

散　　後

浪的沉默，

浸壓在夜月之海，

愈顯得海水的澄靜了。

41

晚 禱

月兒！

謝你這皎皎的清色，

每夜伴我的夢魂安靜地到伊的家裏去．

42

散　後

月夜繁林下的小溪，

低微而清切地唱道：

「月亮姊姊呵！

永久不滅的照着我們罷！」

43

疏　　麕

幽夢裏，

我和伊幷肩默默的佇立，

在月明如洗的園中。

聽薔薇滴着香露，

淸月顫着銀波。

——
44

最　後

死綢像夜幕，

溫柔嚴靜地

把我們旅路上疲倦的塵永遠的洗掉了。

　　　——二二，三，二七——二三，四，十。

45

晚 鐘

歸 夢

飄忽迷幻的夢裏——我跋涉着那迢迢的旅路，回到鄉園去．

暮色蒼涼，風光黯淡中，母親正倚閭望着．門前塘邊的青草地上，弟妹們的嬉遊如故；老母的慈顏，却已添上無限的憔悴．不禁放聲大哭！醒來，正是春暮夜靜的深處．碧紗窗外，臁月朦朧，子規哀啼．從慘散悽惻的留春曲裏，猶聲聲的度來陣陣落紅的碎香．

只是默默的在牀上微忱着．………
兒時的夢影，又殘雲般浮現出來了．

是一個嚴冬的霜夜．不知怎樣的，迷離的踱到一處無際的荒野去．漠漠的赤沙，漫漫的長途．淒煙迷霧裏，只見朔風怒號，寒月苦照，驚鴻

46

歸　夢

悽咽，怪鴟悲鳴。小心裏，惶然悚然！只剩有闃寂，只剩有荒涼！

再不敢久留了，急返身跑回家中。母親正淘米廚下。見了窘蹙，彷徨，客倦的我，百忙中，無可奈何的，把那乳露--般的淘米的水漿給我喝了，温温的給我慰安偎存了。怯懦而恐怖的小心，逅着了慈母的撫愛，不覺哇的一聲哭醒來，却依然安臥在伊甜温的軟懷裏。伊手兒拍着，低聲唱着，「睡罷，寶寶，睡罷。媽在這兒呢。」

母親呵！當我從這孤苦崎嶇的曠野，回到你長眠的樂土的時候，你還是一樣的把那淘米的水漿給我喝麼？

——二三，五，一三。

47

晚　禱

晨　雀

晨雀唱了

在這晶瑩欲碎

藕灰微融的晨光裏，

他唱出莊嚴的頌歌

讚美那慈愛的黑夜

在朦朧而清醒的夢境中

織就了人間悲歡甜苦的情緒。

他唱出綿婉的喜曲

謳歌那絲絲溶着的晨光

在天香流着的朝氣裏

帶着嬰兒般的希望臨降。

他不詛咒黑暗，

他知道那是光明的前驅！

——二三，六，七。

48

晚　禱

晚　禱
——呈汎捷二兄——

不彈也罷，

雖然這清婉瀯洄

微颺蕩着的

蘭香一般縹緲的琴兒。

一切憂傷與煩悶

都消融在這安靜的曠野，

無邊的黑暗，

與雍穆的愛幕下了。

讓心靈恬謐的微跳

深深的頌讚

造物主溫嚴的慈愛。

——二三，六，一三。

49

晚　　禱

晚禱(二)

我獨自地站在籬邊。

主呵，在這暮靄底茫昧中，

溫軟的影兒恬靜地來去，

牧羊兒正開始他野薔薇底幽夢。

我獨自地站在這裏，

悔恨而沉思着我狂熱的從前，

癡妄地採擷世界底花朵。

我只含淚地期待着一

祈望有幽微的片紅

給春暮闌珊的東風

不經意地吹到我底面前：

虔誠地，輕盈地

在黃昏星懺悔底澹光中

完成我感恩底晚禱。

　　　　　　——二四，六，一。

50

暮

像老尼一般，黃昏

又從蒼古的修道院

黯淡地遲遲地行近了

豔裝的夕照

依然閃着他最後的金光；

錦衾的晚霞

也一樣的泛着他臨睡的醉容。

聽——聽！

熙和的百鳥

又奏起雄渾的凱旋曲來了：

「我們從淵默的黑暗裏

唱着勝利之歌醒來的

又唱着勝利之歌

到淵默的黑暗裏安息去了。」

　　　　　——二三，六，二一。

吶　　喊

白　蓮

一個仲夏的月夜——

我默默無言的

倚闌獨對着

那灩瀲柔翠的池上

放着悠瀇之香的白蓮……

見伊慘淡灰白地

在月光的香水一般的情淚中

不言不語的悄悄地碎了.

　　　　　　　——二三,六,二三.

52

星　空

星　空

深沉幽邃的星空下，

無限的音波

正齊奏他們的無聲的音樂．

聽呵！默默無言的聽呵！

遠遠萬千光明的使者

——人間的嬰兒偉大的靈魂麗——

頌讚的歌聲

從紛藍熒熒的天河裏

隱隱的起了．——

是夜色深深，

造物的慈愛深深，

心靈的感覺深深．

——二三，七，十．

53

晚禱

夜露

當夜神嚴靜無聲的降臨，

把甘美的睡眠

賜給…切衆生的時候，

天，披着件光燦銀爍的雲衣，

把那珍珠一般的仙露

悄悄地向大地遍灑了。

於是靜戀的地母

在昭蘇的朝旭裏

開出許多嬌麗芬芳的花兒

朵朵的向着天空致謝．

——二三，七，二十。

54

苦　水

我曾一再的墮入塵網，

於是人間的苦水

便流泉般灌進我的心裏了。

朋友！這水誠然是酸苦的。

但常他流到你的口邊

并且將滴進你的心裏的時候，

別要愀然的避開呵。

因為那是靈明的水——

像紫豔的菩提露一般意味深濃的。

那麼，喝罷，親愛的朋友，

雖然這是酸苦的，

讓他潺潺汩汩的

流進你的心坎的深處罷。

秋空一般的清明，

彩虹一般的妙慧的花

晚　　禱

便將由這滴滴的苦水培植出來了．

——二三，八，三．

56

光　流

祖母呵！

是你從那寂寂的泉路

寄給你眷愛的孫兒

慈藹的探望麼？

昨佟悽惻的殘夢裏——

你手植的白薇花的殤魂

披着迷朦的晴月

在窗外憔悴的紫荆樹上

隱約而鳴咽地哀哭呢！

　　——二三，七，九夜的夢痕——

　　他輾轉的想了一回往事，熱淚從他的枕上滴着。

　　窗外潺潺的飄了一場急雨．雨止了，遠遠雨洗過的黝藍的天邊，三五玄祕的星光熒熒的閃

57

晚　　禱

耀着．幽邃的清輝，反映着他的靈臺，把他的記憶的燈兒更光亮的燃起來．他重復輾轉的想了一回往事，熱淚從他的枕上滾滾的滴着．

　　室中是黑漆漆的．一切都只剩了模糊的影子，只有路邊荒涼的電燈，照着壁上的耶穌聖像．顯出一片淡黃的暗光，像已隱在鏡光後面，看不清楚了．橫窗的睡態惺忪的樹影，不時的隨着陣陣的微風，從像面渺無痕迹的輕輕地拂過．

　　記憶的燈兒，把他照到他長眠的親人去了．熱淚從他的枕上滾滾的滴着．

　　他無意識的望望壁上的聖像．鏡上的光，和他眼裏晶瑩的淚光，貫成了一道光流，——不知是從鏡上流到眼裏，還是從眼裏流到鏡上．

　　他定睛沿着光流望去．光流盡處，便是淡黃的黯輝一片．——電光一閃，他忽忽地，不自知

58

光　　濤

的,微茫而歷歷如春夜的夢境一般,在一處冷森森的墓園躡躞着了.黯淡的墓影,陰沉沉的罩住了一切.野茉莉,百合花,在積着冷露的白楊的敗葉叢中,雜着些媚紅的山花繽紛地開着,閃着寂寂的幽馨,徐溫着泉下長眠的歸人.

　　從無數纍纍的敗黃的土坏中,他看見了他永別的親人長眠的地方了.……慈母的墓,哥哥的墓,弟弟的墓,和新立的祖母的墓.……他們都在墓中安眠着,幽靜而且和平灰白的面龐,現出枯寂的輾然的微笑,恍惚知道他的行近一樣,低微到不可聞的問他說,「你來了麼?」

　　悲哀像墓影般罩住了他稀弱的心靈了.熱淚從他的枕上滾滾的滴着.

　　窗外的雨滴又潺潺了,把他從浮漾的夢鄉

59

晚　　禱

一般的幻景漸醒來．一切——慕園，慈母，哥哥，弟弟，祖母，……都如煙的消散了．他嗚嗚咽咽的哭起來，……母親……祖母……

　光流愈益寬廣了．品瑩的光，射在壁間的聖像上；溫柔，慈憐，慈愛的臉，遽如澄潭的月影般浮現出來，慈悲地反映出一道靈幻的聖光，暖雲一般的慰藉了他稚弱的心靈．他如哭後的嬰兒般止了．餘淚還從他的枕上徐徐的滴着．

　　　　　　　　　——二三，八，一三．

晚　情

晚風起——

樹梢兒在纖月昏黃下

微微的擺動了，

我的心呵！

不要儘這樣悄悄地顫着。

讓伊蹁躚的綠影

在你沉默的歌途裏

掃下淡淡的輕痕。

——二三，八，一七。

晚　　戀

陌生的遊客

什麼，陌生的遊客，像嬰兒

在夢中注視着天杪的晨星，

你只是站在這最遠的路邊

凝望着這朵半開的紅花？

——我不是爲採花而來。

什麼，陌生的遊客，清晨返去了

進香的行客都——的走盡了，

你還是站在這最遠的路邊

凝望着這朵半開的紅花？

——我不是爲採花而來。

什麼，陌生的遊客，時候過了，

夜已無聲息地覆上他煙綃的夢衾，

62

陌生的遊客

有情者都在享受那溫恬的心脈，

你還是站在這最遠的路邊？

——我不是爲探花而來。

什麼，陌生的遊客，你的面龐

這樣緋紅，呼吸又這樣微細，

可是嚴列的秋霜已緊壓你的心苗，

雖然青春還蕩漾在你的臉上？

——我不是爲探花而來。

——二四，六，二夜

63

文學研究會
版權所有
不准翻印作

中華民國十四年 三月初版

（圖）文學研究會叢書晚禱一册

（每册定價大洋貳角）

（外埠酌加運費匯費）

作　者　　梁宗岱

發行者　　商務印書館

印刷所　　上海北河南路北首寶山路商務印書館

總發行所　　上海棋盤街中市商務印書館

分售處　　北京天津保定奉天吉林龍江濟南太原開封鄭州西安南昌漢口杭州關隘安慶蕪湖南昌漢口廣州潮州香港梧州雲南新嘉坡長沙常德衡州成都重慶瀘縣福州貴陽張家口商務印書分館

花木蘭文化出版社聲明啓事

白采的詩

白采 著

白采（1894～1926），原名童漢章，生於江西高安。

中華書局（上海）經售，一九二五年四月出版。原書三十二開。

白采的詩 第一綜

中華書局印

羸疾者的愛——一篇

白采的詩

羸疾者的愛

一

……

我不料來到了你們這裏，
我雖足跡走偏了國中，
但不料會來到了你們這裏！

你的盛意，我已明白；
當你對我表明你的付託，伊的
這正是一個年老人所該有的心事。

一

白采的詩

但是，

矜憐我！

我不能回答；

我是一個飄泊者。

這裏山川的美麗；

這裏主人的恩惠；

和你告訴我的關於伊的屬意；

我都刻在心上。

但是我不能回答你所問的，

我是一個羸疾者。」

二

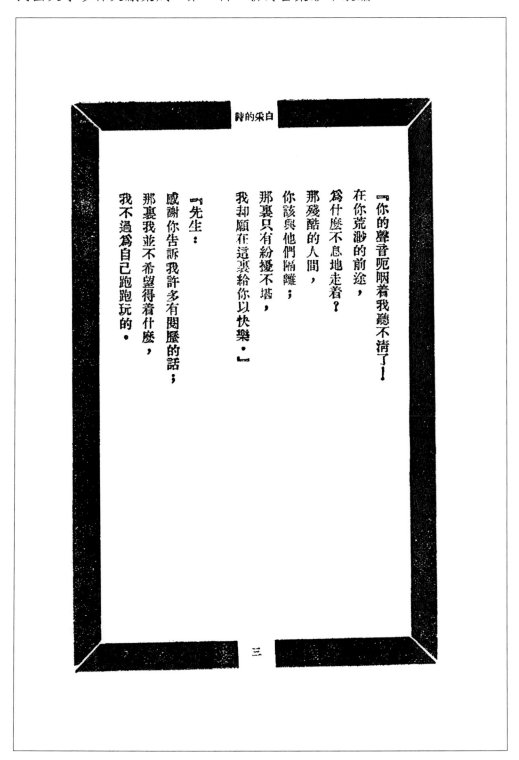

白采的詩

「你的聲音呃哪着我聽不淸了！

在你荒渺的前途，

爲什麼不息地走着？

那殘酷的人間，

你該與他們隔離；

那裏只有紛擾不堪，

我却願在這裏給你以快樂。」

「先生：

感謝你告訴我許多有閱歷的話；

那裏我並不希望得着什麼，

我不過爲自己跑跑玩的。

三

詩的采白

不要讓伊伏在你旁邊哭泣，
讓我去罷！——

這些話反正使伊傷心；
我怕見伊出着眼淚。

我們原不過偶然的遇合，
請仍當我是一個生客。

你們爲我枉拋了許多心力，
但我不能用我的手拭乾伊的眼淚。」

『少年：

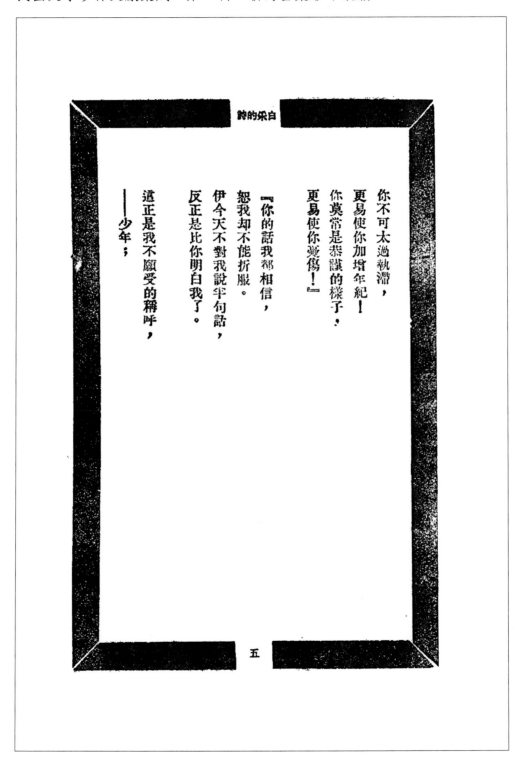

白朵的詩

你不可太過執滯，
更易使你加增年紀！
你莫常是恭謹的樣子，
更易使你衰傷！』

『你的話我都相信，
怒我却不能折服。
伊今天不對我說半句話，
反正是比你明白我了。

這正是我不願受的稱呼，
——少年；

五

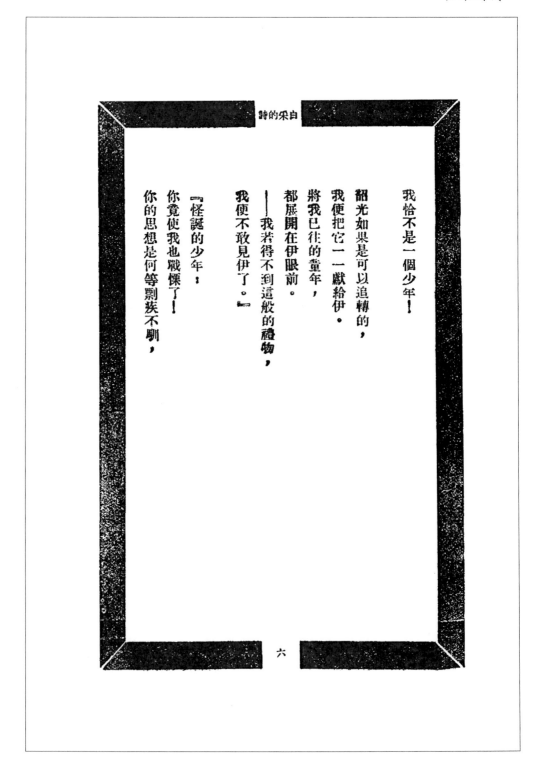

我恰不是一個少年！

韶光如果是可以追轉的，
我便把它一一獻給伊．
將我已往的童年，
都展開在伊眼前。
——我若得不到這般的禮物，
我便不敢見伊了。」

「怪誕的少年：
你竟使我也戰慄了！
你的思想是何等剽疾不馴，

六

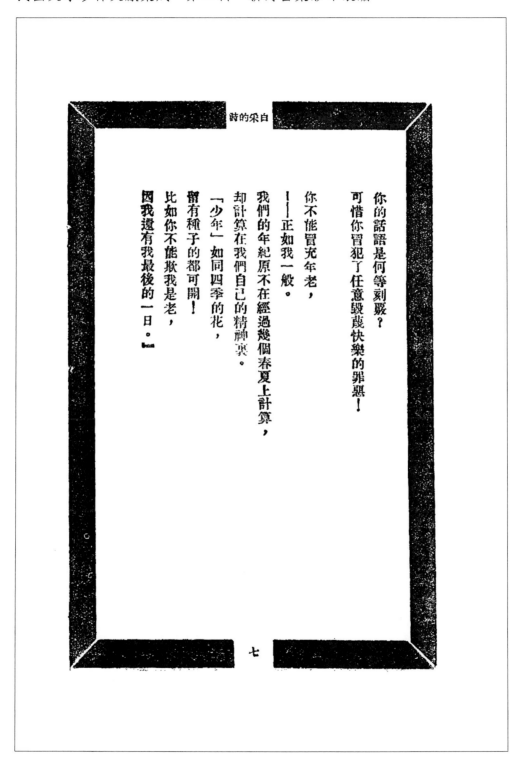

白采的詩

你的話語是何等刻毒？
可惜你冒犯了任意毀薆快樂的罪惡！

你不能冒充年老，
——正如我一般。
我們的年紀原不在經過幾個春夏上計算，
却計算在我們自己的精神裏。
「少年」如同四季的花，
留有種子的都可開！
比如你不能欺我是老，
因我還有我最後的一日。」

七

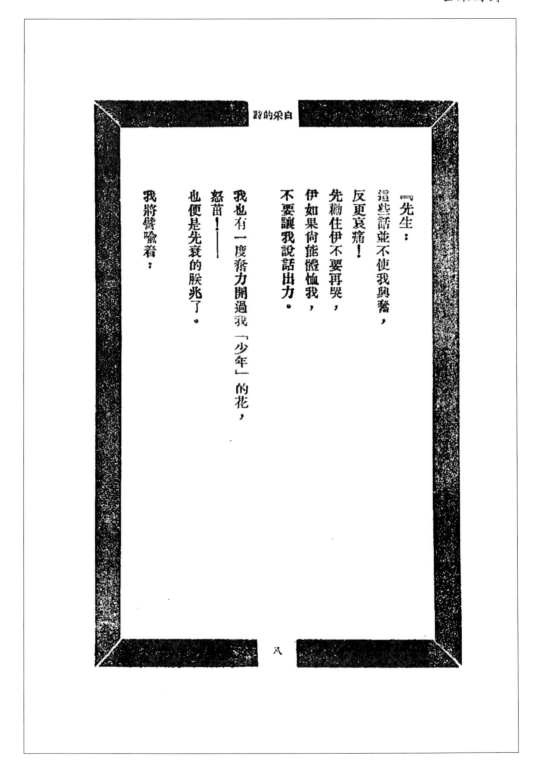

「先生：

這些話並不使我與奮，

反更哀痛！

先勸住伊不要再哭，

伊如果倘能體恤我，

不要讓我說話出力。

不要讓我說話出力。

我並有一度奮力開過我「少年」的花，

怒苗！——

也便是先衰的朕兆了。

我將譬喻着：

八

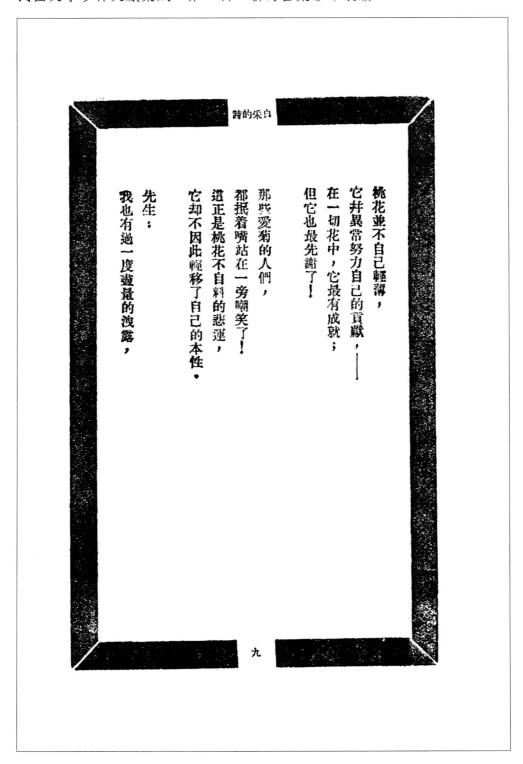

白采的詩

桃花並不自己輕薄，
它並異常努力自己的貢獻，——
在一切花中，它最有成就；
但它也最先謝了！

那些愛菊的人們，
都抿着嘴站在一旁嘲笑了！
這正是桃花不自料的悲運，
它却不因此輕移了自己的本性。

先生：
我也有過一度蠢蠢的洩露，

九

探得的只有嘲笑的果子！

而今我已是一個羸者。

這裏山川的美麗，

這裏主人的恩惠，

都是我所愛慕的；

只是我不配有享受的資格。

如果我一時不審量自己，

也許便是貪鄙！

先生：

你不能援助而有益於我，

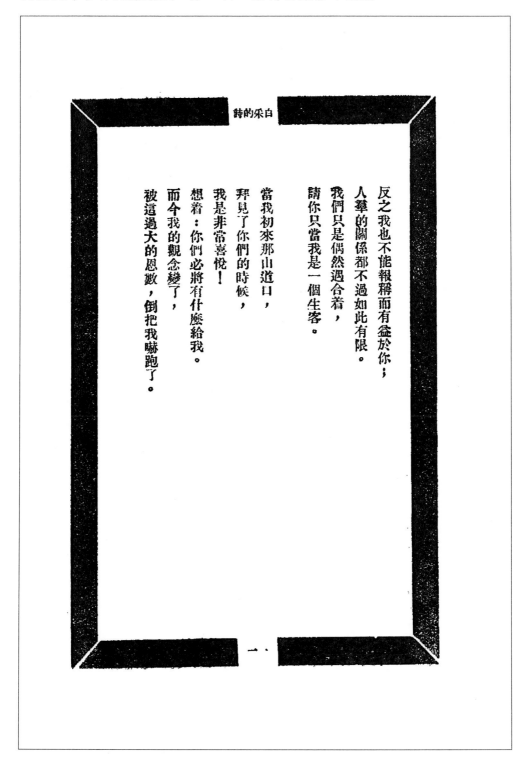

白采的詩

反之我也不能報稱而有益於你；
人羣的關係都不過如此有限。
我們只是偶然遇合着，
請你只當我是一個生客。

當我初來那山道口，
拜見了你們的時候，
我是非常喜悅！
想着：你們必將有什麼給我。
而今我的觀念變了，
被這過大的恩數，倒把我嚇跑了。

一

大惠我既不勝負荷，
別人的小惠，我又不屑；
那末，需要的援助，
——一樣是於我無益！

我更明白：
人們除了相賊，
便是相害着玩偶罷了。
恕我唐突，——
你們也不過爲了有可重視的重視我，
需要的兒戲我。

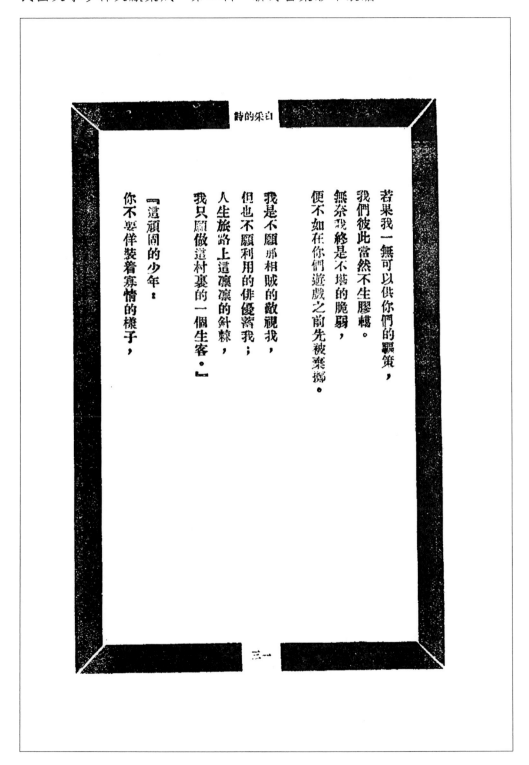

詩的采白

若果我一無可以供你們的驅策，
我們彼此當然不生膠轕。
無奈我終是不堪的脆弱，
便不如在你們遊戲之前先被棄擲。

我是不願那相賊的覷觀我，
但也不願利用的俳優嬴我；
人生旅路上這凜凜的鋒棘，
我只願做這村裏的一個生客。

『這頑固的少年：
你不要佯裝着寡情的樣子，

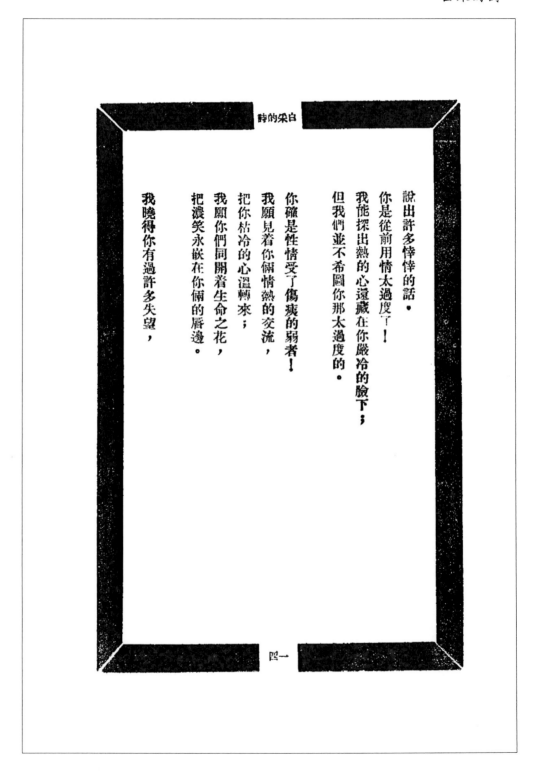

說出許多悻悻的話。

你是從前用情太過度了！

我能探出熱的心還藏在你嚴冷的臉下；

但我們並不希圖你那太過度的。

你確是性情受了傷痕的弱者！

我願見着你倆情熱的交流，

把你枯冷的心溫暖來；

我願你們同開着生命之花，

把濃笑永嵌在你倆的唇邊。

我曉得你有過許多失望，

四一

白采的詩

你向惡人去尋求他們所沒有的，
快恢復了你正確的觀念罷！
我將把平和賜給你，恰如你最初所想要的。」

「你便是人間的霸主，
你的話已和平極了！
但我有透骨髓的奇哀至痛，
——却不在我所說的言語裏！
早使我甘背了正義。
我心上裂開淫漉漉的創口，
不致悄悄提着走上你們的聖地。

我的罪惡如同黑影，
它是永遠不離我的！
痛苦便是我的血，
一點一點滴污了我的天真。
我如果還能把它瀟滌，
畢竟是要對寒泉慚愧，——
縱然牌澀了沒有痕迹。

已不是純真的心，
我便不再持贈人。
現在的我，
既失去了本有；

白采的詩

除了自己毀滅，
需要憐憫，便算不了完善。

愛着的越是煩惱，
伊却上了我的當了！
我廳飄飄的心，
你也約束不住了。

我們如果可比做戲劇，
我還記得見過那「一餐的故事」。
那便是：
——你做「慈愛」；

七一

詩的采白

──我做「慚愧」；

──伊做「痛苦」；

把這些不同的臉譜，配搭一處，

那是多麼好看的呀？

無奈我不能扮這個角色。

伊旺然的笑了嗎？

──這正是我的意外。

我也只有引起伊這淚痕縱橫裏的一笑，

算是最後報答伊的了。

「慈愛」的老人！

自采的詩

『痛苦的「姑娘」！
請饒恕你家裏「慚愧」的旅客！
我說的話多麼散亂，
足够證明我是不能得救。』

『少年：
你不用許多誠懇，
掩不了你眼中噙着的淚，
我是不願丟棄了我的平安，
牢牢守住在這裏。
你如果願意向幸福回頭時，
還請你再到我們這裏。』

九八

詩的采白

『先生：
謝你許我這長時的叨擾，
又勞你反覆的告誡．
願你們都得着平安，
上帝和你們同在！』

二

『慈愛的母親：
你漂泊的兒子又歸來了！
你給我不可推辭的恩惠，

白朵的詩

你的恩惠不望報酬。

除是母親，
有誰真愛着羸弱的兒子？
越是別人不愛，
在母親越是貼心貼意的愛着。
我寧可被衆人的遺棄，
只要永久蟄伏在母愛的翼下。』

『兒啊：
只有你知道我見了你的喜悅！
你乖巧的言語，

一二

引起我蘊藏着的苦淚。

在你漂泊的路上，

有了什麼新聞？

在你孤獨的行遊，

見過什麼異事！』

『母親：

我沒有得着什麼新聞，

也沒有見過什麼異事。

因我在這猥瑣的世上，一切的見聞，

絲毫都覺不出新異；

只見人們同樣的蠢動罷了。

二二

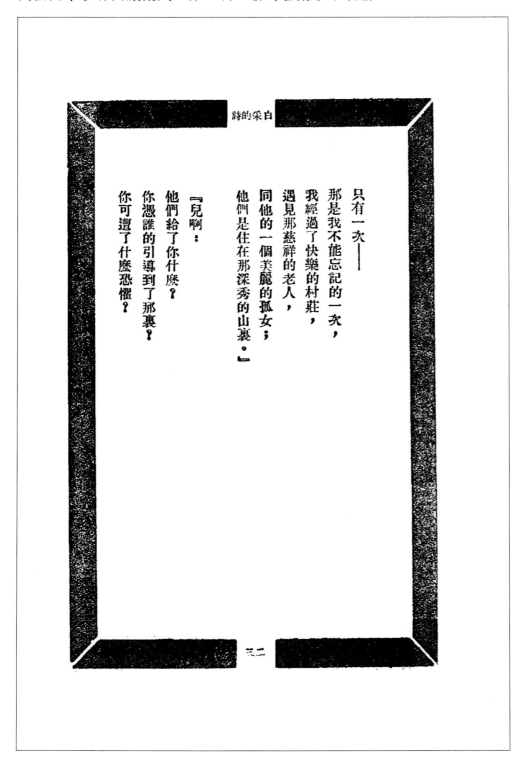

白采的詩

只有一次——
那是我不能忘記的一次，
我經過了快樂的村莊，
遇見那慈祥的老人，
同他的一個美麗的孤女；
他們是住在那深秀的山裏。」

『兒啊：
他們給了你什麼？
你憑誰的引導到了那裏？
你可遭了什麼恐懼？

三二

我柔弱無知的兒子！」

『那是我獨自行遊去的，
——人家都說我是迷了路。
但我仍然高興的走去，
我沒有遭遇什麼恐懼。
那老人給了我的只有愛；
那女子也一樣的把愛給我；
母親：
我却——一謝絕了！』

『恐跋的兒啊：

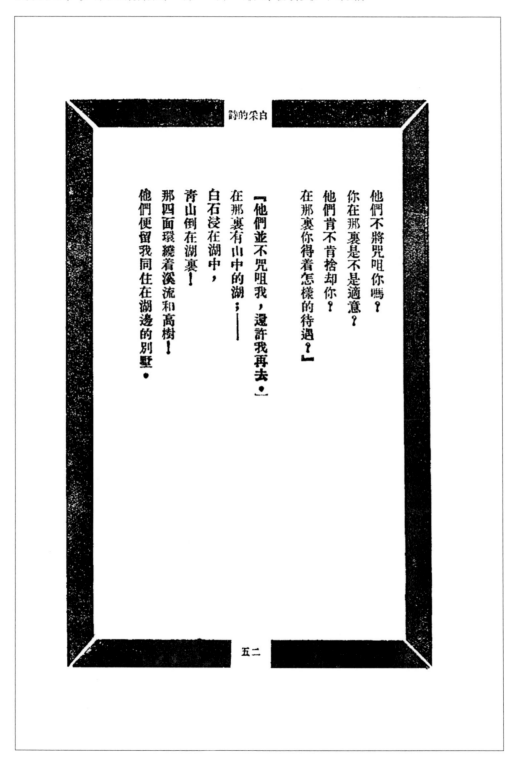

白采的詩

他們不將咒咀你嗎？

你在那裏是不是適意？

他們肯不肯捨却你？

在那裏你得着怎樣的待遇？

「他們並不咒咀我，還許我再去．」

在那裏有山中的湖；——

白石浸在湖中，

靑山倒在湖裏！

那四面環繞着溪流和高樹！

他們便留我同住在湖邊的別墅．

五二

牧兒在我們四週歌唱，
溪女在我們門前浣洗！
那美麗的女子，——主人的女，
常同我攜手在林中。
伊兩手繞着我的頸項，
含笑着喚我是「成年的孩童」。
伊要我永像一個孩子，
常同伊扶抱任一處。

老人還願給我很多的藏書，
——那是他一生最珍惜的；
和他所有的田疇土地，

六二

白采的詩

都將屬於我。

母親：我却拒絕了，

這些在我已經全無用處。」

『可愛的兒：

我們並不介意這些；

可是他們贈給你精神的愛，生命的禮物，

你竟然沒有接受着，

這必然要被咒咀了！

他們是何等隆重的禮意。」

『母親：

七二

你的兒子本是一個羸者！
母親：你該知道，
說過了許多遜謝的言語。
費過很大的躊躇，
我正為了這個驚寵，

向你苦苦求着乳汁；
伏在你懷中不住的哭泣，
記得有一次我散學歸來，——
你生我時已到了襄年。
直到了八歲，常是病着！
我是那誑騙的乳母的兒子，

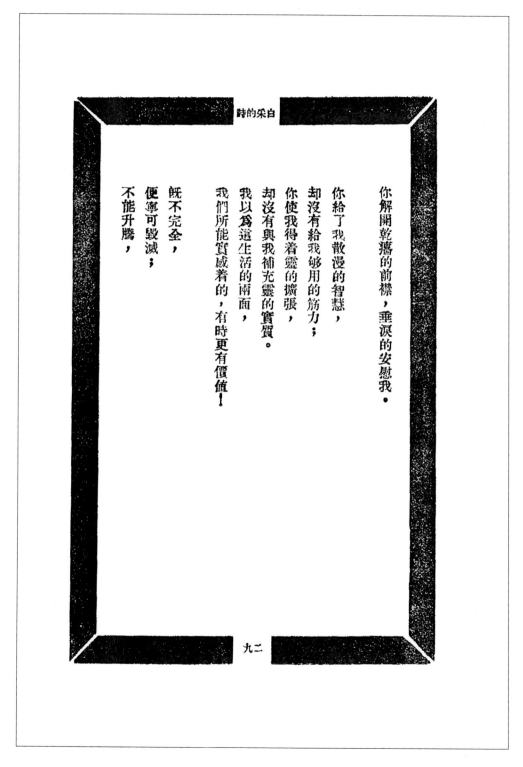

你解開乾癟的前襟，垂淚的安慰我。

你給了我散漫的智慧，
却沒有給我够用的筋力；
你使我得着靈的擴張，
却沒有與我補充靈的實質。
我以為這生活的兩面，
我們所能實感着的，有時更有價值！

既不完全，
便寧可毀滅；
不能升騰，

便甘心沉溺；
美錦傷了蠹穴，
先把它焚裂；
鈍的寶刀，
不如斷折；
母親：
我是不望超拔了！」

『兒啊：
這不幸的消息，
你從何時聽來？
這哥察的推想，

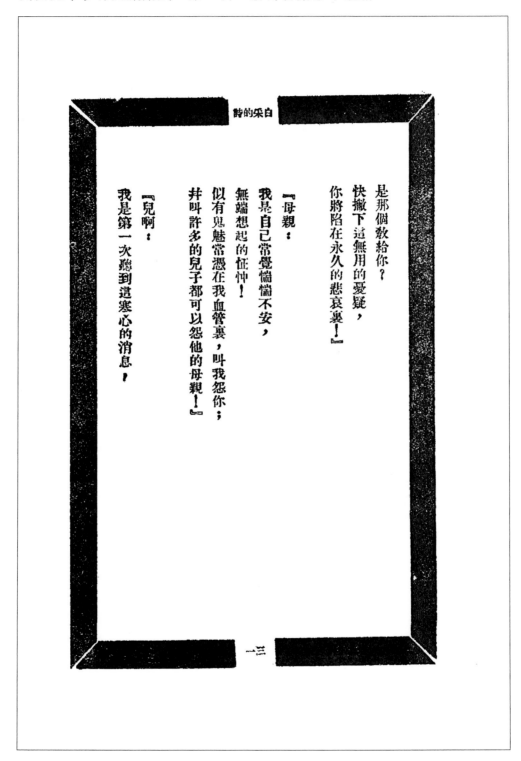

白采的詩

是那個敎給你？
快撤下這無用的愛疑，
你將陷在永久的悲哀裏！』

『母親：
我是自己常覺惴惴不安，
無端想起的怔忡！
似有鬼魅常憑在我血管裏，叫我怨你
并叫許多的兒子都可以怨他的母親！』

『兒啊：
我是第一次聽到這寒心的消息，

一三

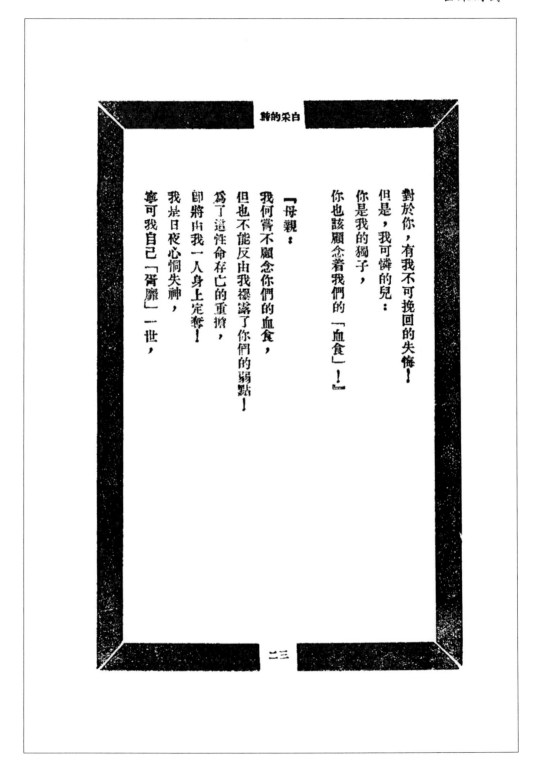

對於你，有我不可挽回的失悔！

但是，我可憐的兒：

你是我的獨子，

你也該顧念着我們的「血食」！」

「母親：

我何嘗不顧念你們的血食，

但也不能反由我襲露了你們的弱點！

為了這性命存亡的重擔，

卽將由我一人身上寵奪！

我是日夜心恫失神，

寧可我自己「脣靡」一世，

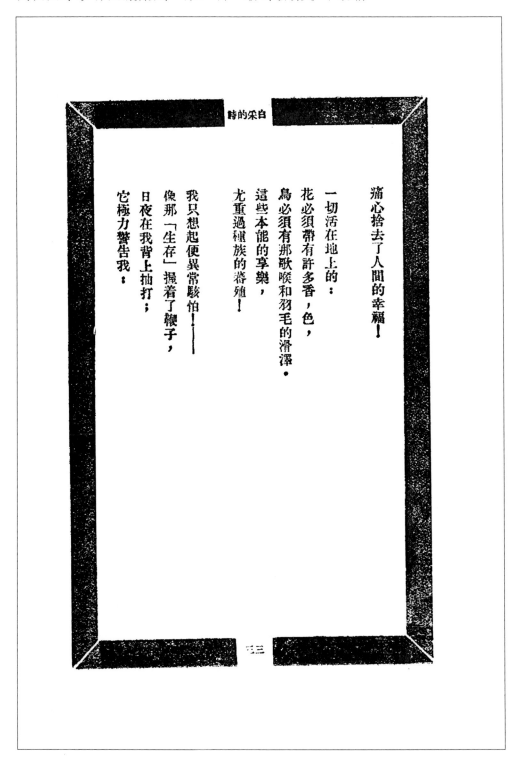

白采的詩

痛心捨去了人間的幸福！

一切活在地上的：
花必須帶有許多香，色，
鳥必須有那歌喉和羽毛的滑澤．
這些本能的享樂，
尤重過種族的蕃殖！

我只想起便異常駭怕！——
像那「生存」撮着了鞭子，
日夜在我背上抽打；
它極力警告我：

三五

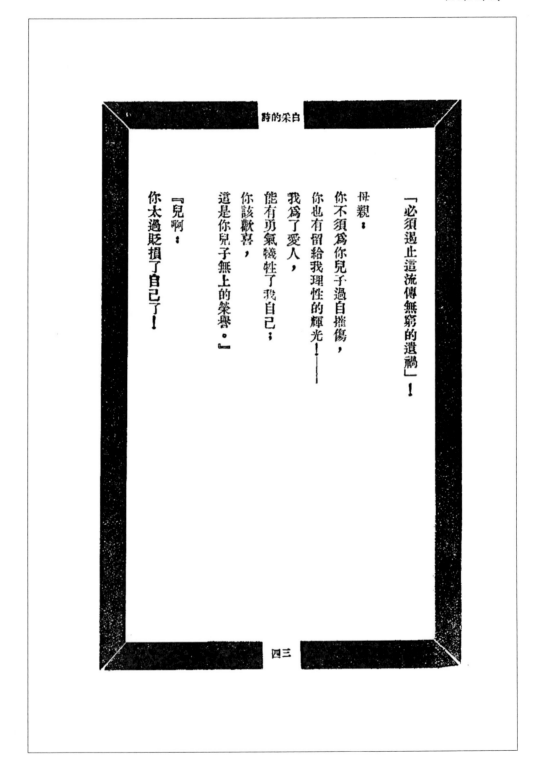

「必須遏止這流傳無窮的遺禍」！

母親：

你不須為你兒子過自攛傷，

你也有留給我理性的輝光！——

我為了愛人，

能有勇氣犧牲了我自己；

你該歡喜，

這是你兒子無上的榮譽。」

「兒啊：

你太過貶損了自己了！

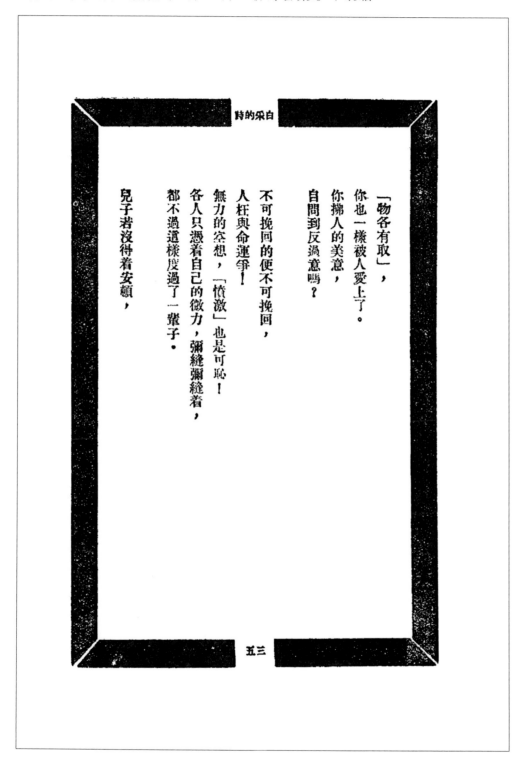

白朵的詩

「物各有取」，
你也一樣被人愛上了。
你拂人的美意，
自問到反過意嗎？

不可挽回的便不可挽回，
人枉與命運爭！
無力的妄想，「憤激」也是可恥！
各人只憑着自己的微力，彌縫彌縫着，
都不過這樣度過了一輩子。

兒子若沒得着安頓，

五三

是母親衰老的心上永久的懸慮！
在你稗弱易感的心靈，
譬如琴上的么絃，
「軫子」是尤其重要的！
難道忍心叫你母親長為你悽惶嗎？……」

三

『我的伙伴：
我們是契闊後的相見！
我有無窮的憂慮，
你能助我解決嗎？』

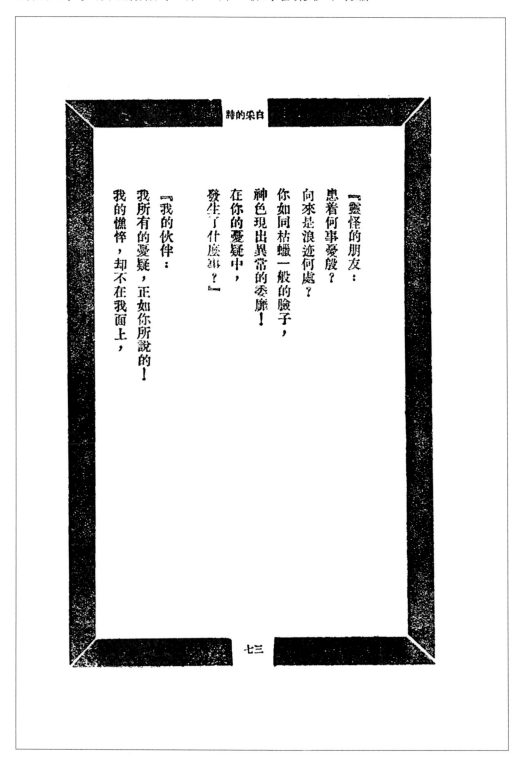

白采的詩

『靈怪的朋友：
患着何事憂般？
向來是浪迹何處？
你如同枯蠟一般的臉子，
神色現出異常的委靡！
在你的憂疑中，
發生了什麼事？』

『我的伙伴：
我所有的憂疑，正如你所說的──
我的憔悴，却不在我面上，

七三

是在我心裏；

我想避免人間的愛，

常怕受人的恩惠；

——我是心靈的虛怯者。」

我驚賀你還不曾失掉你本有的顛狂！

如同詩一般的晦澀難解。

「你的言語太茫昧，我不明白；

「我的伙伴：

請莫用這含譏諷的口吻對我，

我悸動的心已不能任受了！

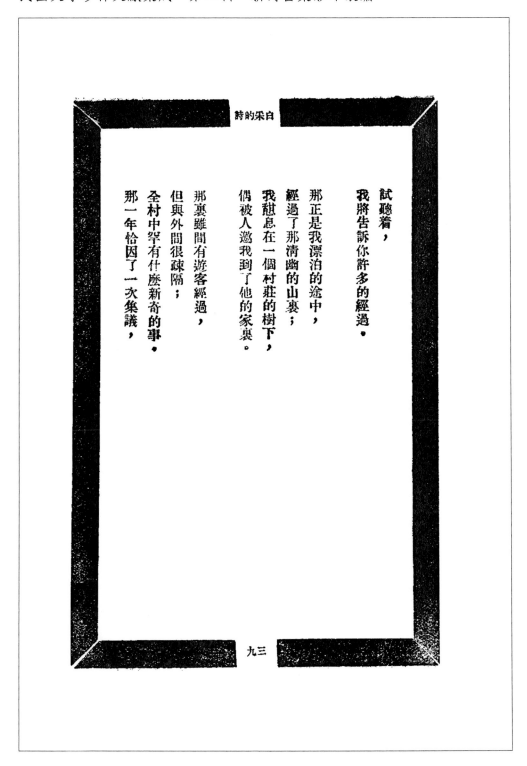

白采的詩

試聽着，

我將告訴你許多的經過。

那正是我漂泊的途中，

經過了那清幽的山裏；

我憩息在一個村莊的樹下，

偶被人邀我到了他的家裏。

那裏雖間有遊客經過，

但與外間很疎隔；

全村中罕有什麼新奇的事，

那一年恰因了一次集議，

九三

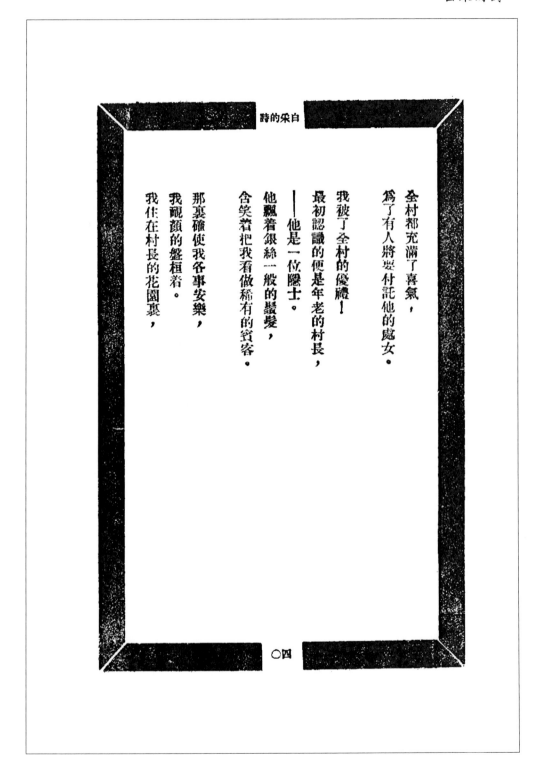

全村都充滿了喜氣，
為了有人將要付託他的處女。

我被了全村的優禮！
最初認識的便是年老的村長，
——他是一位隱士。
他飄着銀絲一般的鬚髮，
含笑着把我看做稀有的賓客。

那裏確使我各事安樂，
我覩顏的盤桓着。
我住在村長的花園裏，

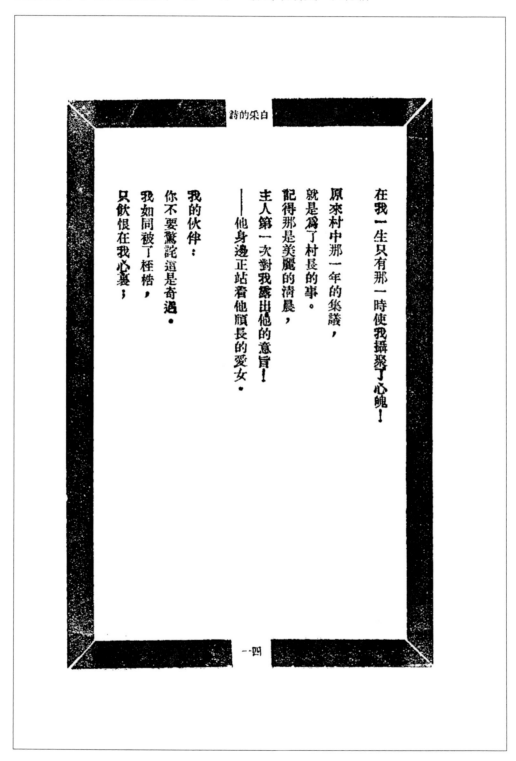

白朵的詩

在我一生只有那一時使我攝聚了心魄！

原來村中那一年的集議，
就是爲了村長的事。
記得那是美麗的清晨，
主人第一次對我露出他的意旨！
——他身邊正站着他頎長的愛女。

我的伙伴：
你不要驚詫這是奇遇。
我如同被了桎梏，
只飲恨在我心裏；

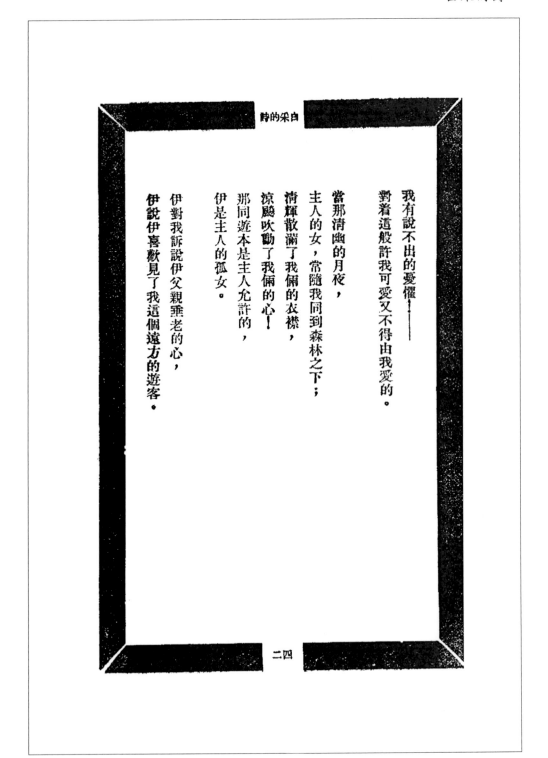

我有說不出的憂懼！——
對着這般許我可愛又不得由我愛的。

當那清幽的月夜，
主人的女，常隨我同到森林之下；
清輝散滿了我倆的衣襟，
涼飈吹動了我倆的心！
那同遊本是主人允許的，
伊是主人的孤女。

伊對我訴說伊父親垂老的心，
伊說伊喜歡見了我這個遠方的遊客。

二四

白采的詩

這村長是高雅的隱士，
伊是村長美麗的孤女！
但是我有了心疾，
我不能說愛伊。

伊像相依的小鳥，
對我不住的啁啾，
有時向我吱吱的笑；
伊能使我陶醉！
但是我不能說愛伊，
我是有了心疾。

四三

我的伙伴，
你有了什麼意見嗎？
我却不能等你的回答；
你莫疑我是顛狂，
我正願把真意向你陳說。

我眼見人們都穿過這重複的網口，
——各人求着宴安；
但爲了倦怠找尋着刺激，
越是與奮反更頹唐。
結果，快樂
更增進了衰弱！

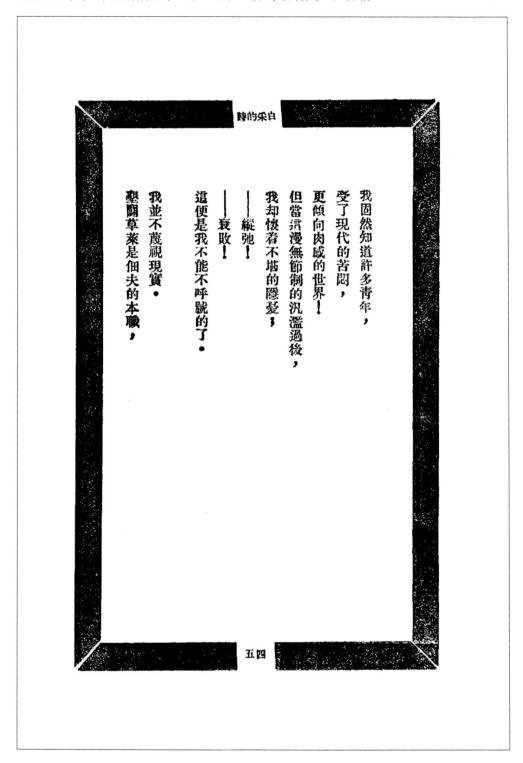

詩的采白

我固然知道許多青年，

變了現代的苦悶，

更傾向肉感的世界！

但當這漫無節制的汎濫過後，

我却懷着不堪的隱憂；

——縱弛！

——衰敗！

這便是我不能不呼號的了。

我並不蔑視現實。

墾闢草萊是佃夫的本職，

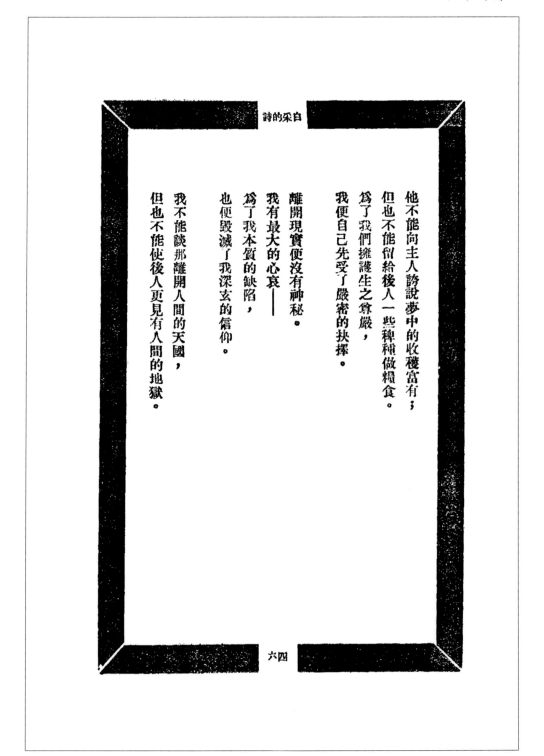

詩的采白

他不能向主人誇說夢中的收穫富有；
但也不能留給後人一些稗種做糧食。
為了我們擁護生之尊嚴，
我便自己先受了嚴密的抉擇。

也便毀滅了我深玄的信仰。
為了我本質的缺陷，
我有最大的心哀——
離開現實便沒有神秘。

但也不能使後人更見有人間的地獄。
我不能談那離開人間的天國，

六四

白采的詩

我的工作，
只能為你們裝剔蕪穢，
讓你們更見薔薇璀璨！

我正為了尊重愛，
所以不敢求愛；
我正為了愛伊，
所以不敢受伊的愛。

請恕我，
我的話太茫昧！
但你總可聽出我的哀聲，

七四

詩的采白

贏弱把悲哀灌滿了我的全生命！

我是常常這般患着心悸。」

『慣行矯激的人，

佯狂的朋友：

你的話，我不忍辯論了。

你的行爲，怕不是你的本心，

那又何苦偏執呢？

你被悲哀的薄氛蒙蔽久了，

難道自己不想想該怎樣歸宿？

你爲了顧全別人，反未免太過慮了。

八四

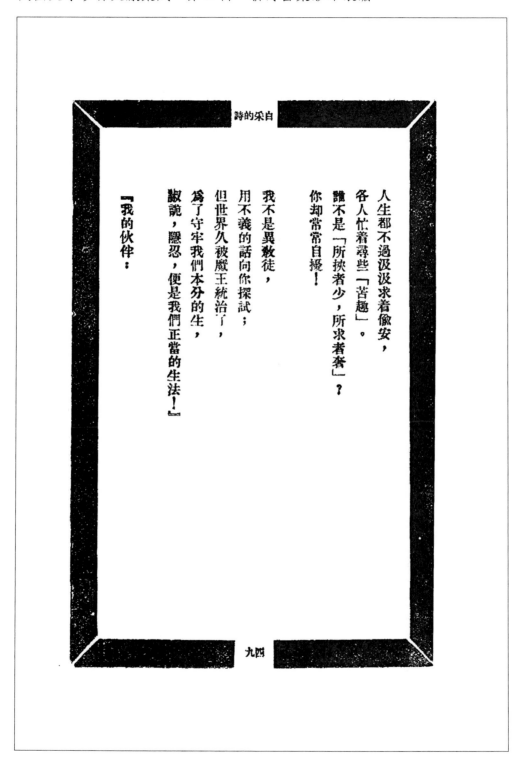

自采的詩

人生都不過汲汲求着偸安，

各人忙着尋些「苦趣」。

誰不是「所挾者少，所求者奢」？

你却常常自擾！

我不是異敎徒，

用不義的話向你探試；

但世界久被魔王統治了，

爲了守牢我們本分的生，

詭詭，隱忍，便是我們正當的生法！」

「我的伙伴：

九四

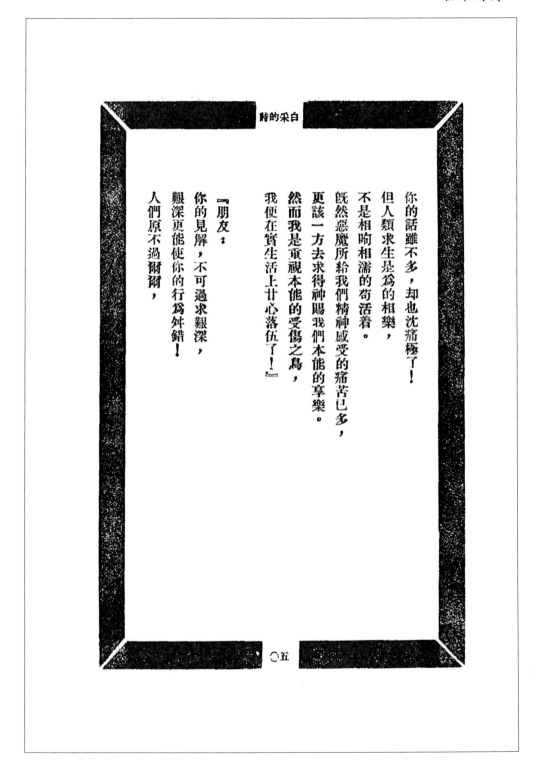

你的話雖不多，却也沈痛極了！

但人類求生是為的相樂，

不是相呴相濡的苟活着。

既然惡魔所給我們精神感受的痛苦已多，

更該一方去求得神賜我們本能的享樂。

然而我是重視本能的受傷之鳥，

我便在實生活上廿心落伍了！』

『朋友：

你的見解，不可過求艱深，

艱深更能使你的行爲舛錯！

人們原不過爾爾，

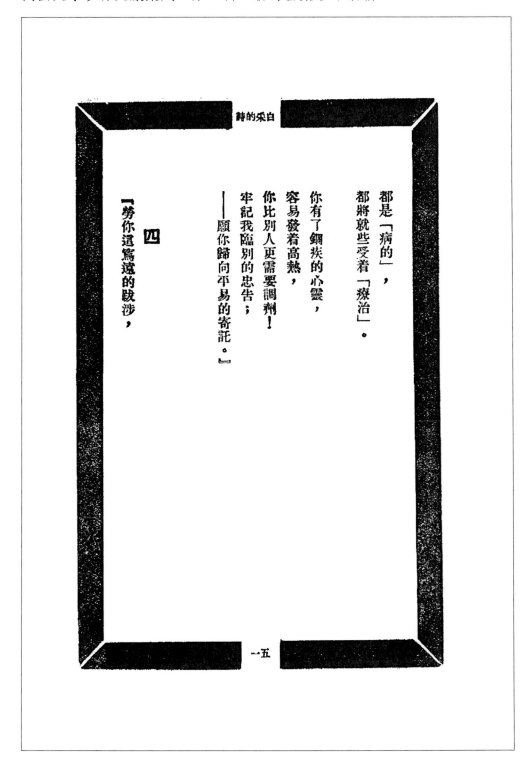

白采的詩

都是「病的」，
都將就些受着「療治」。

你有了錮疾的心靈，
容易發着高熱，
你比別人更需要調劑！
牢記我臨別的忠告；
——願你歸向平易的寄託。」

四

「勞你這駕遠的跋涉，

詩的采白

『先生：

你遇着了什麼意外？

這跋涉的途中，

你經過了什麼不幸？

這離別中間，

我們同流着驚喜的淚！──

這不是夢裏嗎？──

你怎的陌生生一人來到了這裏？

像我實不值得你這般專注，

忍心撇下了你垂老的父親！

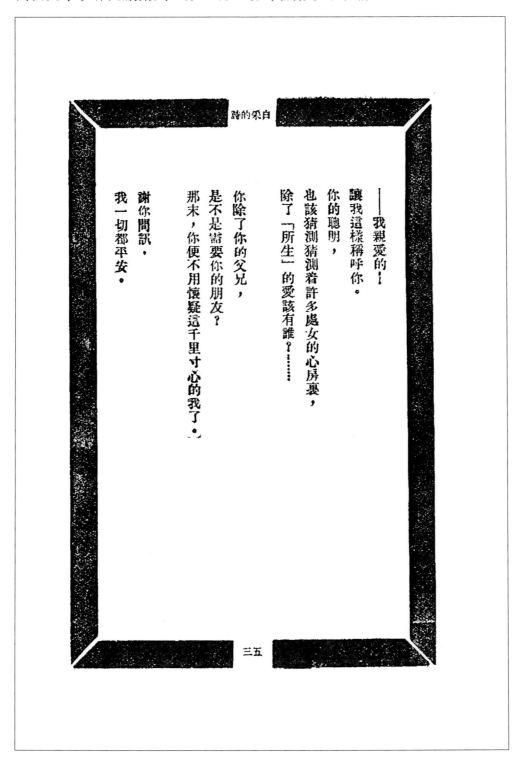

詩的采自

———我親愛的！

讓我這樣稱呼你。

你的聰明，

也該猜測猜測着許多處女的心房裏，

除了「所生」的愛該有誰？……

你除了你的父兄，

是不是需要你的朋友？

那末，你便不用懷疑這千里寸心的我了。」

謝你問訊，

我一切都平安。

三五

我憑着愛神的光輝生着，
也憑着愛神的保護送我到這裏。
我是拾了我可愛的父親，
來找尋和父親一樣可愛的。

一個人如果只有了「母愛」便够了，
那末，
也便可以永久躲在襁褓裏了。

我們固然需要廣博的愛，
但也需要更深刻的。
親愛的先生：

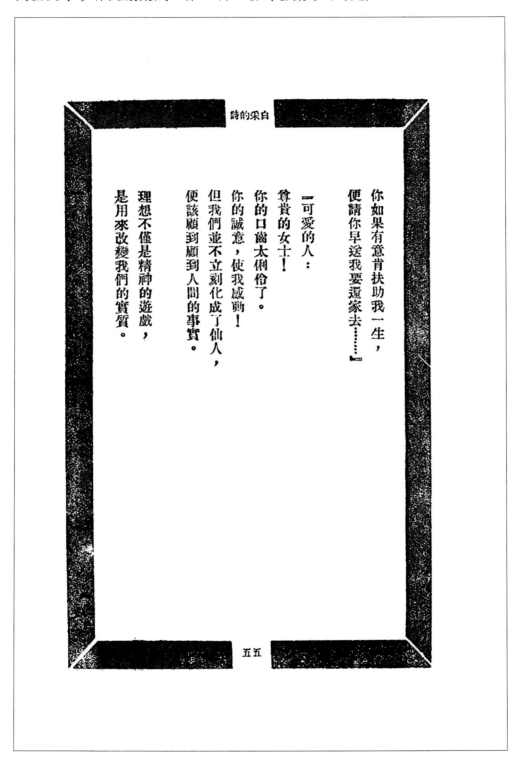

你如果有意肯扶助我一生，
便請你早送我要還家去……』

一可愛的人：
尊貴的女士！
你的口齒太俐伶了。
你的誠意，使我感動！
但我們並不立刻化成了仙人，
便該顧到顧到人間的事實。

理想不僅是精神的遊戲，
是用來改變我們的實質。

生命的事實，
在我們所能感覺得到的，
我終覺比靈魂更重要呢。

你不能佩一朵萎了的花，
反誇說它從前怎樣怎樣的艷麗。

正如我不能對你說：
在虛無中反有我的實在。

遺棄了我吧！
我不能滿足你的尋求。
假如你錯認我做了「靈伴」，

六五

詩的采自

你便將終於失望了。

若有人叫你莫輕信我，
這是真實可靠的了。
——因為他也正愛着你呢·

在我，
你將徧嘗着——
伏侍羸疾者的厭倦；
飽受了——
顛狂者的震恐。」

七五

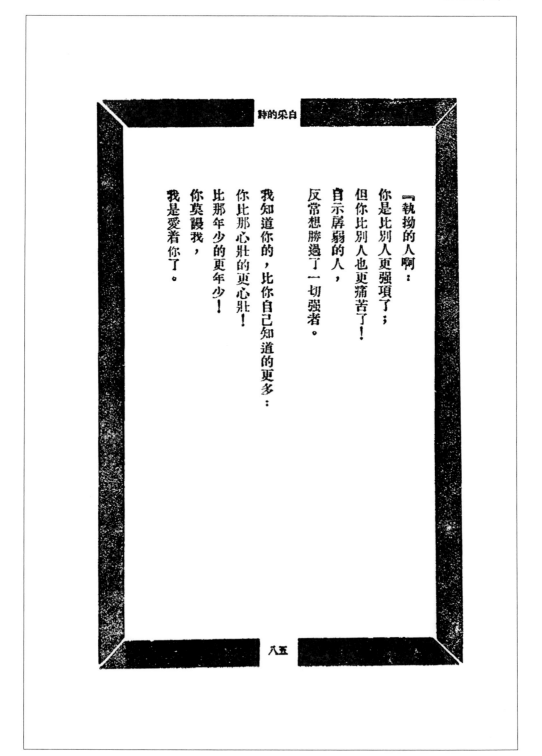

『執拗的人啊：

你是比別人更強項了；

但你比別人也更痛苦了！

自示孱弱的人，

反常想勝過了一切強者。

我知道你的，比你自己知道的更多：

你比那心壯的更心壯！

比那年少的更年少！

你莫譏我，

我是愛着你了。

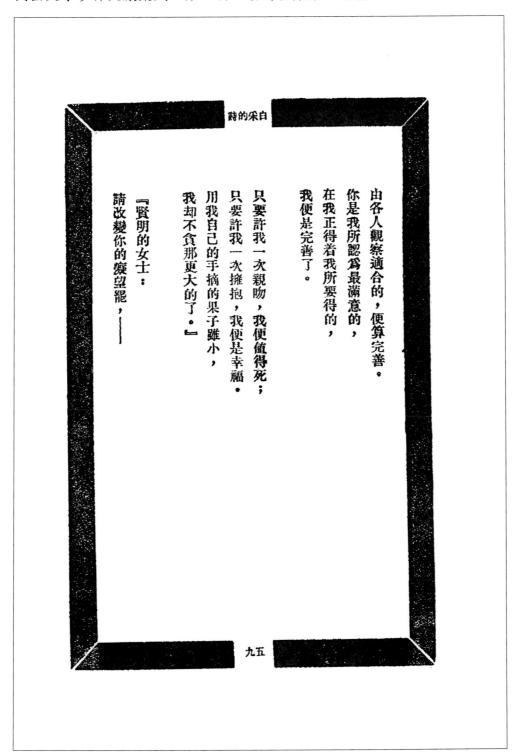

白采的詩

由各人觀察適合的，便算完善。

你是我所認為最滿意的，

在我正得著我所要得的，

我便是完善了。

只要許我一次親吻，我便值得死；

只要許我一次擁抱，我便是幸福。

用我自己的手摘的果子雖小，

我却不貪那更大的了。』

『賢明的女士：

請改變你的癡望罷，——

九五

你是病了！
你該明瞭你有更大的責任，
却超過你的神聖的愛。

我們委靡的民族；
我們積弱的國；
我們神明的子孫，太半是尤物了！
你該保存「一人母」的新責任。
這些「新生」，正仗着你們慈愛的選擇；
這莊嚴無上的權威，
正在你們豐腴的手裏。

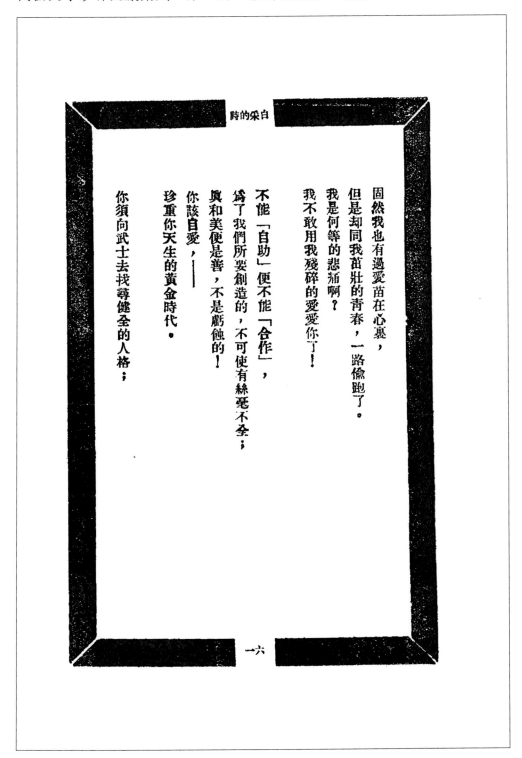

時的采白

固然我也有過愛苗在心裏，

但是却同我苗壯的青春，一路偸跑了。

我是何等的悲痛啊？

我不敢用我殘碎的愛愛你了！

不能「自助」便不能「合作」，

為了我們所要創造的，不可使有絲毫不全；

眞和美便是善，不是蠹蝕的！

你該自愛，——

珍重你天生的黃金時代。

你須向武士去找尋健全的人格；

一六

你須向壯碩像嬰兒一般的去認識純眞的美．

你莫接近那狂人，會使你也變了病的心理；

你莫過信那日夜思想的哲學者，

他們只會製造些詐僞的辯語。

羞恥啊！——

我不如武士和嬰兒，

我只是狂人哲學者的弟子。

羸弱是百罪之源，

陰藥常漬在不健全的心裏。

我不敢求你憐恕，

我已是不中繩墨的朽質；

二六

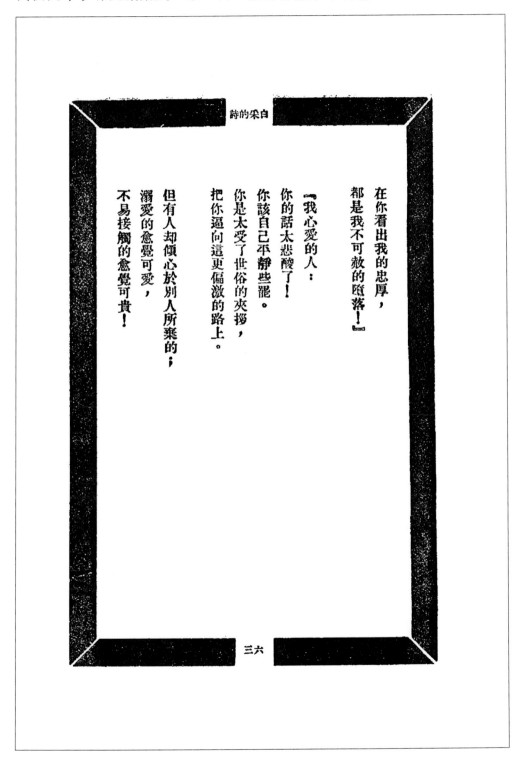

詩的采白

在你看出我的忠厚，
都是我不可赦的墮落！」

「我心愛的人：
你的話太悲酸了！
你該自己平靜些罷。
你是太受了世俗的夾挾，
把你逼向這更偏激的路上。

但有人却傾心於別人所棄的；
溺愛的愈覺可愛，
不易接觸的愈覺可貴！

三六

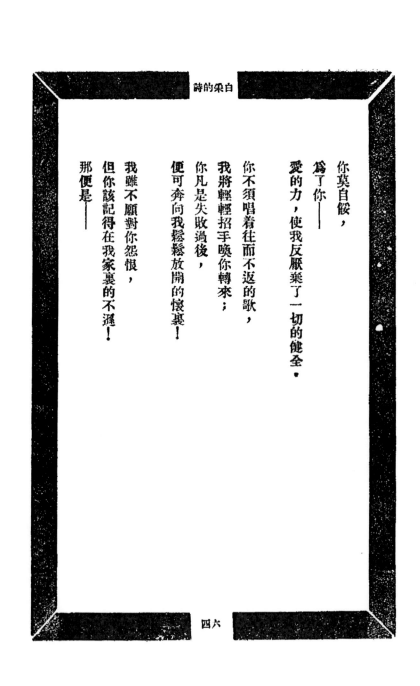

詩的采白

你莫自餒，

為了你——

愛的力，使我反厭棄了一切的健全。

你不須唱着往而不返的歌，

我將輕輕招手喚你轉來；

你凡是失敗過後，

便可奔向我鬆鬆放開的懷裏！

我雖不願對你怨恨，

但你該記得在我家裏的不滅！

那便是——

四六

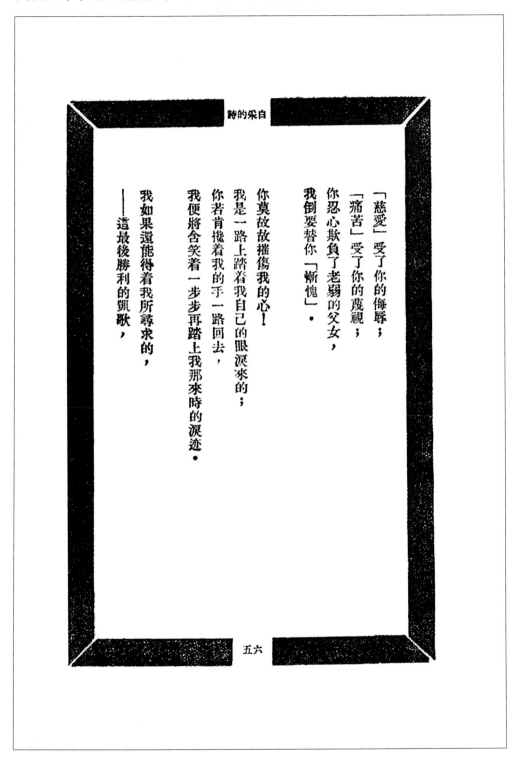

「慈愛」受了你的侮辱；
「痛苦」受了你的蔑視；
你忍心欺負了老弱的父女，
我倒要替你「慚愧」．

你莫故故摧傷我的心！
我是一路上踏着我自己的眼淚來的；
你若肯攙着我的手一路回去，
我便將含笑着一步步再踏上我那來時的淚迹．

我如果還能得着我所尋求的，
——這最後勝利的凱歌，

詩的采白

便不負了我所損失的。

當牧兒再見他所失去的小羊時，

頓然忘了才被主人鞭韃的痛苦。

你不能體貼我些些嗎？——

我是不願我年老的父親常爲我操心；

你也該知道我兩頭牽挂着一心！

如今，我將乞求你最後的決定，

你不能試這樣向我說：「回心」嗎？……」

「請莫把這柔軟的網，張在我四面，

莫把這陶醉的語言，灌入我心裏；

六六

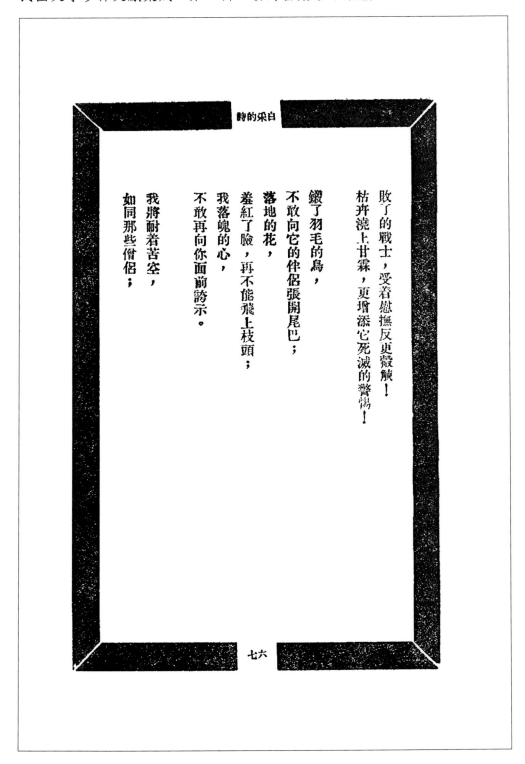

自采的詩

敗了的戰士，受着慰撫反更羞慚！
枯卉澆上甘霖，更增添它死滅的警惕！

不敢再向你面前誇示。
我落魄的心，
羞紅了臉，再不能飛上枝頭；
落地的花，
不敢向它的伴侶張開尾巴；
鎩了羽毛的鳥，

如同那些僧侶；
我將耐着苦空，

七六

詩的采白

我將懷着已往，
甘心做一個狷者；
我將在夢裏伴着你，
你只當我是不歸的蕩子。

羣花爭笑着迎接春王，
但這不是枯卉的事；
你是人間最可愛的，
但這不是我的事；
爲了怕阻礙陽春的工作，
我不該枉占却一寸園地。

八六

白朵的詩

我所有的不幸，無可救藥！

我是——

心靈的被創者；

體力的受病者；

放蕩不事生產者；

時間的浪費者；

——所有弱者一切的悲哀，

都灌滿了我的全生命！

我敬禮的姑娘：

請早歸你自己的故鄉。

那裏山川的美麗，

九六

那裏主人的恩惠，

我永不能忘！

我願你們如山如川的安寧美麗；

在這莽莽的天涯，

須記常有人遙爲你們祝福！

我將再向我渺茫的前途；

我所做的，我決不反顧。

請訣絕了我吧！

我將求得「毀滅」的完成，

償足我羸疾者的缺憾。」

——一九二四，一，六——八，屬草。

〇七

跋自己的采自

我作詩脫稿後，常愛緘秘，或揉縐撕碎。有時也極想出而就正；但我因第一次的發刊，總不願假手他人，這正是我一種僻性罷了。此詩謬承兪平伯君許爲近來詩壇中 Masterpieces 之一，至相徵六次未已；又郭沫若君也謬有傑出之譽，極欲爲之發表。他們的話，是否靠得住？不是映我的？兂好仍由他們去負責。我不過要在此順便申謝一句！

○

○

我的初稿，本打算暫時起草大意，再待補緝的；不料擱置至今大牟年了，還是無暇再把它弄好，眞是恨事！但我總想先就此本嚴加修削，使無完膚，方覺快心。兪君却來書勸止，他說：『當時實感的遺痕，必須鄭重愛惜，不可以事後追摹之跡，損其本來面目。』故僅就兪君點勘的數字易之。至於

白采的詩缺

我試刊的惟一希望，仍是想多得些真心願指導我的人。

一九二四，八，八，我底紀念日。

東北

二

白采的小說

『絕望』等七篇

係將作者已另發表之作品，及祕不發表之作品，嚴擇其結構意旨各別者凡七篇，彙為第一集。現已出版，實價三角，郵遞四分。本外埠各大書局均有寄售。

中華民國十三年十二月付印
中華民國十四年四月出版

白采的詩 第一綜

～～～～嬴疾者的愛～～～～

全一冊實價三角 郵遞四分

著作者及 發行者	白 吐 鳳 上海靜安寺路
印刷者	中華書局印刷所 上海及各省 中華書局
經售處	中華書局 上海及各省
分售處	泰東書局 民智書局 亞東書局 上海書店